La Oruga Soñadora
Quiere Volar

Escrito e illustrado por Roitman Trillo

Publicado por FUN WITH A MESSAGE
ROITMAN GRAPHICS
P.O. Box 7643
Chandler, AZ 85246
www. funwithamessage.com

El arte presentado en "La Oruga Soñadora", está a la venta!

Por favor visita nuestro sitio de web donde puedes comprar cuadros impresos en lienzos con el arte presentado en éste y otros libros.

Un porcentaje de toda venta será donado a una organización benéfica.

www.funwithamessage.com.

Para mi pequeña mariposa, Abigail.

"La Oruga Soñadora Quiere Volar"© surgió de enseñarle a mi hija a esperar el tiempo perfecto de Dios pues fue Él quien la hizo hermosa y quien le dio los deseos que están en su corazón. Él los hará realidad.

Eccl. 3:11a

Él ha hecho todo hermoso en su tiempo.

Los libros de FUN WITH A MESSAGE tienen un mensaje alentador y positivo que cautiva la imaginación y el corazón de los niños con ilustraciones magníficas.

Printed in the USA.

ISBN-13: 978-1-937980-08-5 (paperback)
ISBN-10: 1-937980-08-1 (paperback)

En medio del jardín,
Hay una casa escondida.

¿Quien vive ahí, tan metida?

Acércate, mira con cuidado,
y verás...

Una pequeña criatura,
Llamada Abby, la oruga.

De su belleza no hay duda,

¡Pero va más despacio
que la tortuga!

Ella volar ya quisiera,
Para ver flores
bailar en la pradera.

“Paciencia querida”,
Le dice su pájaro amigo.

“Cuando el tiempo llegue,
podrás volar conmigo”.

Pero Abby desea ya
sus alas ver.

¡Lo desea, lo desea
hasta más no poder!

No puede más que caminar,
Pues sin alas no puede volar.

Y para llegar a la pradera
donde las flores suelen jugar,

A las patitas de Abby,
¡les falta velocidad!

Un día, con mucho esfuerzo,
una hoja pudo escalar...

¡Para el sol disfrutar!

Con la brisa en su cabello,

Se puso a pensar,
"¿Como puedo flotar y
llegar hasta el cielo tocar?"

Una idea su rostro ilumina,

¡Volará una hoja cual cometa,
para salir de la rutina!

Pero, ¿podrá a su hogar regresar?

¿Sabrá como aterrizar?

“No”, se dice Abby,
“¡Una cometa no se manejar!”

Quizás convenga orar,

¿Habrá alguien quien la pueda ayudar?

Su pájaro amigo la
viene a visitar.
Y al verla tan triste,
le quiere consolar:
¡Yo te puedo llevar!
¡Vamos a volar!

¡Gracias, amigo!

Me encantaría ir contigo.

En un momento,
¡por el aire se elevaba!

La pequeña oruga asustada,
¡A las plumas se aferraba!

Pero la belleza de las flores,

Pronto se llevó todos
sus temores.

Por primera vez conversó
con flores,
¡De todos los colores!

Ellas bailaban en la brisa.
Hasta se podía oír su risa.

La fragancia más deliciosa,
Venía de la rosa.

Y a los girasoles oyó decir,
¡Tenemos néctar para
compartir!

A los pétalos de una
rosa subió...

¡Y la belleza que allí encontró
la impresionó!

Al néctar probar,
Se puso a cantar,

"¡Qué delicia, es un manjar!"

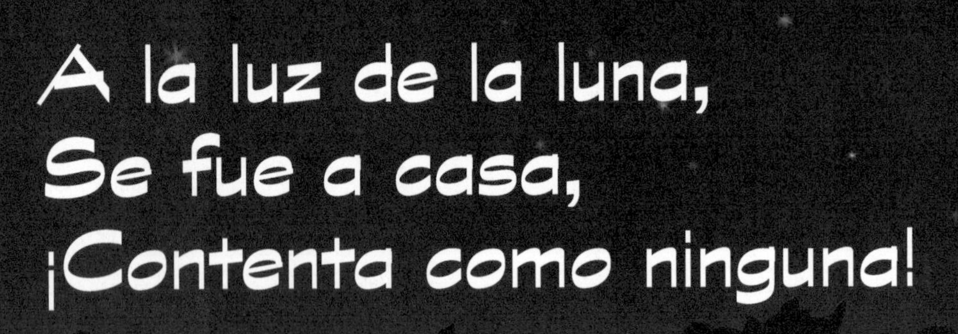

A la luz de la luna,
Se fue a casa,
¡Contenta como ninguna!

Se acostó muy sonriente,

Después de lavarse
los dientes.

De repente,
Un cambio muy sorprendente...

¡Al amanecer,
Sus alas pudo ver!

Sin espera,
Abby saltó afuera,

Abrió sus alas y anduvo
¡vuela que vuela!

¡Libre al fin!

Sin miedo poder volar,
Flores voy a visitar.
¡Qué felicidad!

E-BOOK

"La Oruga Soñadora Quiere Volar" Y "Caterpillar's Dream" ya están disponible en formato electrónico para los teléfonos y tabletas; como iPhone®, iPad™, Android™, Nook, así como para computadoras PC™ y Macintosh™. También está disponible en iTunes™y en formato Kindle™.

Si te ha gustado esta versión de "La Oruga Soñadora", por favor visita Amazon.com en donde puedes comprar nuestros otros libros Caterpillar's Dream, La Oruga Soñadora Quiere Volar, Ellie Sanchelly, Go Fly A Kite! y Valentina Juega Con El Viento.

CPSIA information can be obtained
at www.ICGtesting.com
Printed in the USA
BVHW021927240821
615150BV00003B/8